MOBILE SUIT GUNDAM 0083 REBELLION

CONTENTS

만화　나츠모토 마사토(夏元雅人)

원작　야다테 하지메(矢立肇)

　　　토미노 요시유키(富野由悠季)

협력　선라이즈

콘셉트어드바이저　이마니시 타카시(今西隆志)

콘페이토 주변 주역에, 지온 잔당의 침입이 증가하고 있습니다.

대부분이 델라즈 플리트에 찬동한 비정규 부대일 뿐입니다만

증가세가 잦아들지를 않습니다.

게다가 폭약과 함께 함정에 뛰어드는 놈들도 있어서

그렇게 큰 소리 낼 일은 아니다.

저희 병사들에게 동요가…

통솔도 안 되는 소규모 부대가 제아무리 증가해 봤자

대국에는 아무런 영향도 없다!!

이 콘페이토의 방위망은 완벽하니까요.

그렇다.

놈들은 초조해하고 있다.

일년전쟁의 패배를 받아들이지 못하고 우주를 배회하던 놈들이

델라즈의 감언이설에 끌려서 모이고 있을 뿐.

놈들은 불쌍한 망령에 불과하지.

'별가루 작전'
이라니,
정말 얄궂은
이름이군.

쓰레기 놈들을
쓸어버릴
좋은 기회다.

키스!!
상대는
콘페이토
쪽으로
도망친다!!

진로를
막아줘!!

말이
쉽지….

뒷일은
알아서
할 테니까!!

이 자식들 뭐냐고!!

정규군도 아닌데 끝도 없이…!!

고마워 키스.

이걸로 세 대째 격추다.

델라즈 플리트에 참가하려고…

가토한테 합류하려는 놈들이야.

아니

그러니까 가토도 반드시 나타날 거야…

이 솔로몬 해역 어딘가에….

그래!!

선발 함대도 예정대로 움직이고 있습니다.

가토 소령이 반드시, 각하의 기대에 응할 수 있는 전과를 올리겠지요!!

지금부터 '별가루 작전'의 최종 단계에 들어간다!!

버닝 부대 귀함!!

작업자는 제 위치로!!

빨리 해!!

수고
하셨습니다!!
대위님.

대위님…
거기!!!

탄약 보급을
마치는 대로
다시 나간다.
서둘러주게.

응?

안 돼요!!
의무관한테
연락해
둘게요!!

별 일
아니라니까.

당장
의무실로
가세요!!

피로가
좀 쌓였나
본데….

예,
됐습니다
대위님.

별일도
아니죠,
선생님.

음…

분명히…
지병은 없었죠,
버닝 대위님.

내장 수치 결과가
좋지 않습니다.

약간이지만
뇌파 이상도
검출됐고.

아무 지장도
없습니다.

일상생활
에는…

말이죠.

요즘 계속
싸운 탓에
피곤해서
그렇겠죠.

군의관으로서
함장님께
보고해야만
합니다.

잠깐만요
선생님!!

지금
이 상황에서
제가
빠질 수는…

……

수치만
보자면

MS 탑승을
허가할 수 없는
수준입니다.

우웅

여기
계셨습니까
소령님.

곧 출격 예정
포인트입니다.

그래….

카리우스….

……

니나 퍼플턴 때문이십니까?

솔직히… 놀라기는 했습니다.

날 꼴사납다고 비웃어도 좋다….

그건… 달에서 때가 오기를 기다리면서 헛된 나날을 보내던 시절에

내 마음이 풀어진 탓에 벌어진 잘못이다.

이 바다에서 사라져간 동포들의 영혼에게도 그렇게 말할 수 있을까?

잘못이라고 생각하는 사람은 없습니다, 가토 소령님.

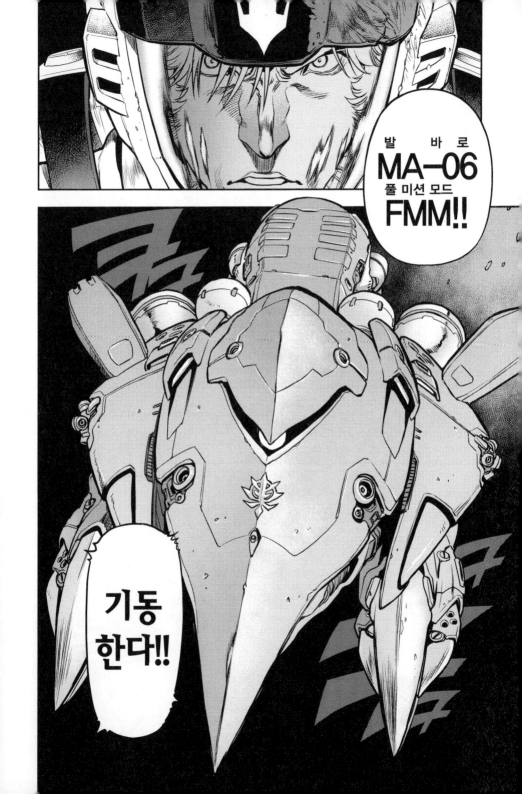

우리는 그저 달려나갈 뿐!!

그래….

그녀와의 일은…

건담의 정보를 얻기 위한…

그런 것 이었습니까?

소령님!!

하나만 대답해 주십시오.

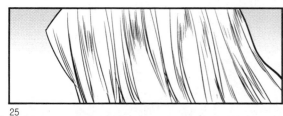

난 그렇게 재주 좋은 사내가 아니다.

MOBILE SUIT
GUNDAM
0083
REBELLION

MOBILE SUIT
GUNDAM
0083
REBELLION

깊은 인연이
있는 기체…
'건담'.

끔찍한 운명을
지니고 태어난 네놈과
출격하는 것도

이번이
마지막이겠지.

같이
사지로
가자…!!

레즈너 대위님!!
저도 솔로몬 전투
생존자입니다!!
같이 싸우게 돼서
영광입니다.

솔로몬까지
길 안내
부탁드립니다,
대위님!!

대위님!!

꼭
설욕하는
겁니다!!

너희들….

무운을 비네…

소령!!

라모스 초계 구역에 적 MS 다수!!

증원을 요구하고 있습니다!!

꽤 많군!! 메인 손님인가?

부근의 MS 부대로 환영해줘라!!

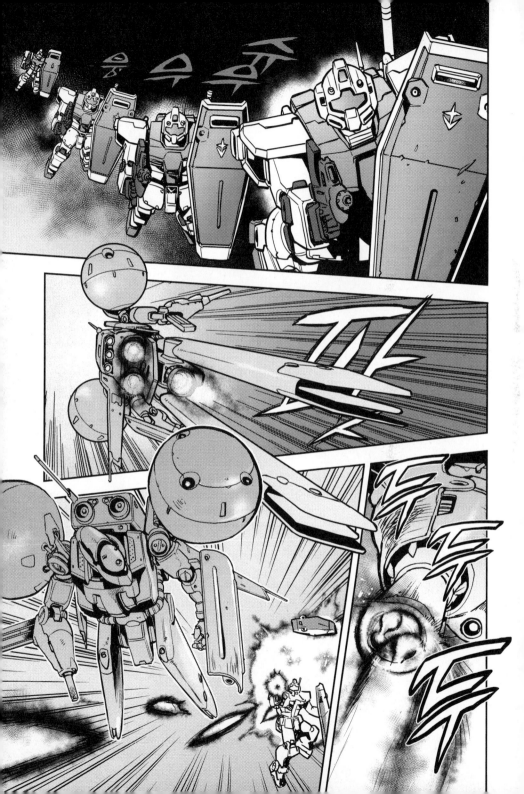

하지만….

아무리 통솔된 정규군이 나타났다고 해도, 전력차를 봤을 때 델라즈 플리트가 승리하는 일은 만에 하나라도 있을 수 없다.

건담 2호기의 핵탄두가 우려되기는 하지만

이 만에 침입하지 못하게 저지하면 그만이다.

예!! 저희 콘페이토의 방위망에는 한 치의 틈도 없습니다.

16개 구역에 달하는
요새 위성을 중계하는
경계 색적 시스템은
완벽하게 가동되고
있습니다.

그 중 어딘가에서,
반드시 핵탄두를 탑재한
건담을 발견하겠죠.

발견만 하면
MS 1대를
격추하는 것은
아주 간단한
일입니다.

당연하지!!
여기에는 우주 함대
거의 대부분이
집결해 있으니까!!

전력 차이는
압도적이다!!

와이어트 각하!! 관함식 약 2시간 전입니다.

슬슬 기함 버밍엄으로.

그래!!

음!!

저는 여기서 각하의 관함식을 지켜보도록 하겠습니다.

그럼 헤본 소장, 콘페이토 기지 사령관으로서

적을 잘 물리쳐주게.

제군!!

이 관함식은 스페이스노이드 놈들에게 연방의 실력을 보여줄 절호의 기회다!!

적 부대는 정규군으로 보인다!!

충분히 주의 하도록!!

랏셀 초계구에 새로운 반응! 몬시아, 키스는 베이트와 합류해서 이를 요격하라.

아직 2호기는 확인되지 않았습니다.

정규군이라면… 거기에 가토도…

한참 기다렸잖아!!

이제야 진짜가 납셨나!!

아, 옛!!

훈련 대로만 하면 되는 거야!!

키스 이 자식아!! 쫄지 말라고!!

자네도!!

흥

굿럭!!

몬시아 중위!! 코스 클리어.

응?

버닝 대위. 마침 잘 왔네.

함장님!!

잠깐 괜찮겠습니까!!

아무 문제 없습니다.

피로가 좀 쌓였을 뿐입니다.

MS에 탈 수 있겠나?

군위관한테서 자네 몸 상태에 대한 보고를 받았는데…

키스, 갑니다!!

다행이군요. 내리라고 하시면 어쩌나 싶었습니다.

그 말을 들으니 안심이군.

이 상황에서 자네가 파일럿에서 빠지면 곤란하니까.

45

그럼 출격 준비하러 가보겠습니다!!

잠깐만, 대위!!

아직 부하들한테만 맡겨둘 수는 없으니까요.

예, 알고 있습니다.

무리하지는 말게.

자네나 나나 군인치고는 늙다리니까

갑자기 그게… 이유가 뭔가?

파일럿을 그만두는 건 몰라도, 군대를 그만둘 필요는 없을 텐데?

실은….

이 임무가 끝나면

제대할까 생각 중입니다.

지난번 보급 때 제 앞으로 편지가…

다시… 시작해보고 싶다고 말이죠.

3년 전부터 별거 중인… 아내한테서 편지가 왔습니다.

그런 이유 때문입니다.

버닝 대위님, 사모님하고 잘 되길 빌게요.

하아

예.

그렇다면 무사히 임무를 마쳐야겠지!!!

그런가, 그건 몰랐군…

할 말이 뭐야? 우라키 소위.

이렇게 싸우면 안 돼….

그건 어쩔 수 없어.

추진 출력 문제 때문에.

2블록 떨어진 곳까지만 대응할 수 있어…

산발적으로 적을 발견해도, 지금 건담으로는

그런 경우에는 다른 부대에 맡기는 수밖에….

소위, 마음은 알겠는데

만약 가토가 더 먼 곳에 나타난다면 놓치게 될 텐데…

그래선 안 돼…

2호기는 꼭 내가 쓰러트린다고!!

니나랑 약속했어!!

말도 안 되는 소리!!

계산상으로는 1호기 출력을 1.5배까지 더 올릴 수 있어.

기체도 문제지만, 파일럿의 부담도 생각해야지!!

니나… 말이지.

모라는 분하지도 않아?

가토는 우리 눈앞에서

2호기를 빼앗아 갔는데…

방법이 없는 건 아냐.

추가 파츠로 환장할 필요가 있지만….

출력 얘기…

버닝 대위님 허가 없이는 안 돼!!

단!!

추가··· 파츠?

보고서는 올렸지만

물건이 물건이다 보니 보류 파츠로 안쪽에 넣어뒀거든요.

코웬 중장님이 보내신 보급 물자에 그런 게 있는 줄은 몰랐는데.

흐음···

하지만, 갑자기 실전에서 쓴다는 게 문제죠.

추진 부스터로서는 문제없을 거예요.

우라키가 다룰 수 있을까?

1호기에 장착을 허가하기는 했지만···

그래서?

건담과 우라키는?

건담은 밖에서 기체 환장을 하고 있어요.

여기서 하면 밖으로 나갈 수가 없거든요.

우라키 소위는 건담 콕피트에서

추가 파츠의 사양을 머릿속에 쑤셔 넣고 있습니다.

아니!!

우리를 맞이하고 있다!!

내게는 환희의 목소리가 들린다.

자동 포대…?!

들켰다!!

달에 나타난 MA와 비슷한데…

가토와 함께 전장을 누비는 것이 내…

케리 씨의 발 바로…

2호기는 아직 확인되지 않았다!!

보내 주세요!!

가토는 거기 있습니다!!

틀림없이 있습니다!! 출격을 허가해 주세요!!

......

추진력이 떨어지니까, 견인 부탁한다.

좋아!! 단, 나도 같이 간다.

그 파츠는 일년전쟁 때 개발된 구 건담 시리즈

RX-78-7에 사용된 무장 추진 파츠야.

비켜!!

전담이 나간다!!

우라키 소위!! 추가 파츠의 스펙은 잘 외워뒀겠지!!

알고 있다.

코스 클리어. 무운을 빕니다, 버닝 대위님!! 부인을 위해서라도.

무슨 얘기 입니까?

?

아무것도 아니다.

집중해라 우라키!!

예!!

지금부터 가토를 쓰러트리러 가야 하니까.

우라키 소위, 건담 1호기!!

출격 합니다!!

퀴 위

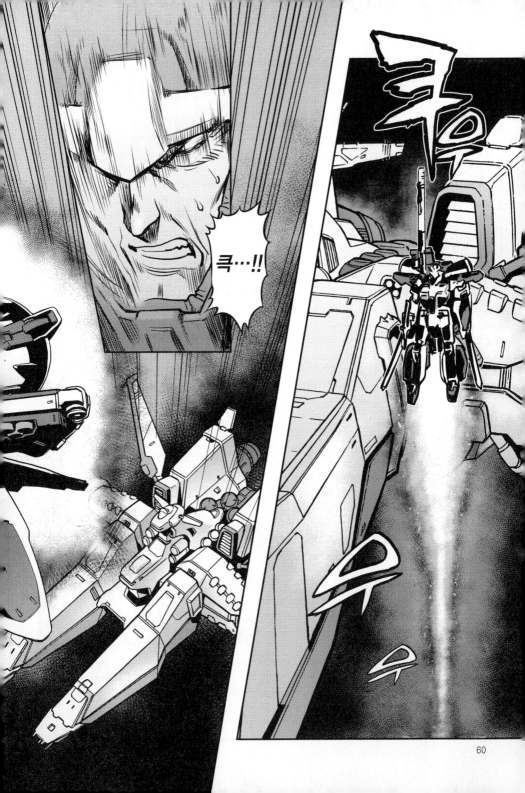

늦으면
안 돼…!!

제45화 「격돌의 붉은 우주」

3년이나 굴욕을 맛보는 일은…

없었다…!!

고속 이동 물체를 확인.

지온 잔당이라면 격추해라.

너무 빨라서… 조준이 안 됩니다!!

잠깐만요!! 이건…

식별신호 확인!! 우군입니다.

조금 있으면 관성 속도로 낮출 예정입니다.

그때까지만 가속에 견뎌 주세요.

괜찮다… 늦어버리면 의미가 없다.

버닝 대위님, 가속 때문에 힘드십니까?

얼마 전까지 신참이었던 네 녀석이…

날 걱정해 주다니….

후… 후후… 후후…

임무를
수행하고

기체와 함께
귀환했을 때…

어엿한
파일럿으로
평가받는
것이다.

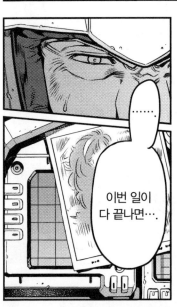

……

이번 일이
다 끝나면….

예!!

반드시 가토를
쓰러트려라!!
우라키.

우리 집사람
음식 솜씨는
끝내주거든.

지상에 있는
내 고향집으로
초대하겠다.

아

기대하겠
습니다.

그래도,
꼭 불러
주십시오.

......

결혼
하셨습니까?

미처 말을
못 했을
뿐이다.

여러모로
정신이
없어서

......

꾸욱

...잡담은
여기까지다.

전장에
다 왔다….

괜찮으십니까,
대위님?

...예!!

우웅

이 빨간 MA…
괴물인가?!

으아아아!!!

땅

빨간 MA만
있는 게
아냐!!

뒤에 있는
저 이상한 물체는
또 뭐지?!

저것도
MA…
인가?!

뭐?!

정규군이기는
해도,
이쪽은
양동부대였나
보군요!!

이쪽이
진짜가
아니었다는
거야!!

대위님과
우라키가,
가토의
본대 쪽으로
갔다고?!

흥!
되다 만
MS가!!

코우는…
괜찮으려나…?

대충
정리했군요.

우라키 혼자
재미 보게 둘 순
없으니까.

후딱
가자!!

그래도, 대위님 혼자서 우라키를 돌보는 건 힘들 테니까!!

우리도 지원하러 가자, 키스!!

탄약 보급받을 여유도 없군요.

제… 제때 도착 하려나요?

예?!

예, 옛!!

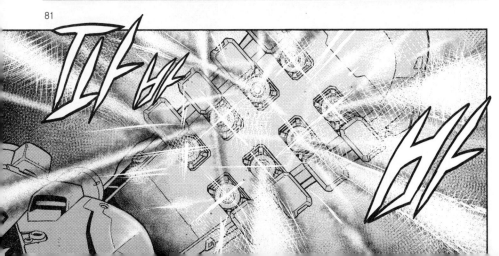

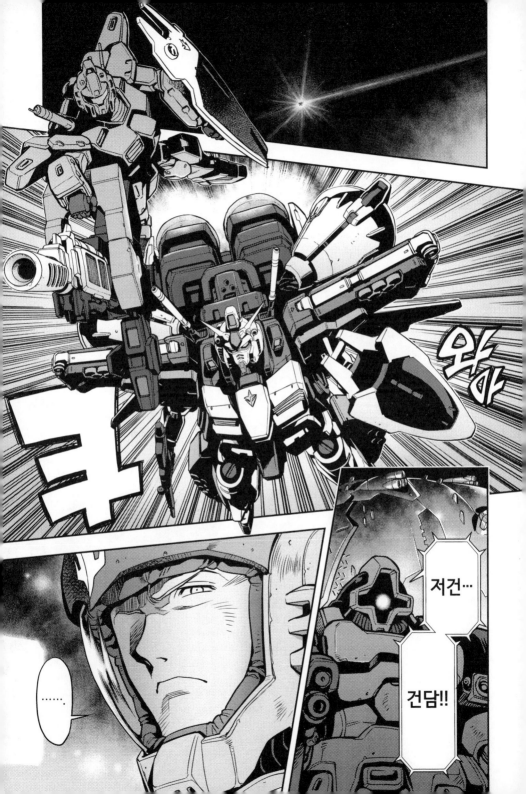

레즈너 대위님은 …?!

연방에게 방위선을 바로잡을 시간을 줘서는 안 된다!!

카리우스 중사!! 뒷일을 맡긴다!!

이 놈을 쓰러트린다!!

난 여기서…

케리 씨….

방해…

하겠다는 건가…?

놈을
해치우고…

…….

반드시
따라와라,
케리 레즈너!!

네놈에게
승리의 섬광을
보여주겠다.

예!!

지금부터
두 팀으로
나눈다.

기레스 부대는
발 바로와 함께
적을 섬멸하라!!

가토!!

도망치는
거냐?!

우라키!!
네 기체는
거리를 두고
싸워라!!

접근전은
불리해!!

94

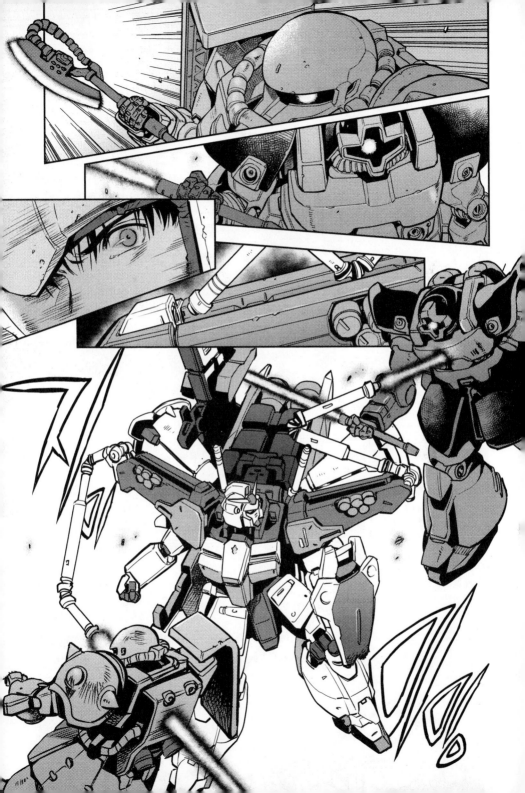

제46화 「결전의 행방」

라트라…
너한테는
미안했다.

내 안에
불씨로만
남아 있던
것을

전장에서
전부
불살라
버리겠다!!

가토 소령님.
곧 돌격 포인트
입니다!!

음!!
양동부대의
퇴로는
맡기겠다,
카리우스!!

예!!

무운을 빕니다!!

아직이다!!

움직여라!!

발 바로….

ALERT

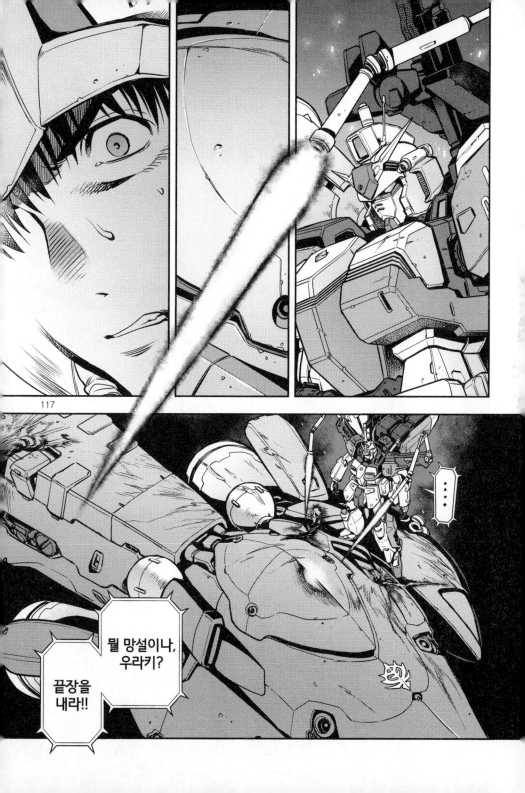

본디 관함식이란 서기 1341년, 영불 전쟁 때….

관함식은 이미 시작됐다.

겨우 MA 하나를, 왜 못 막나?!

그… 그게.

미확인 거대 MA가 급가속으로 접근 중!!

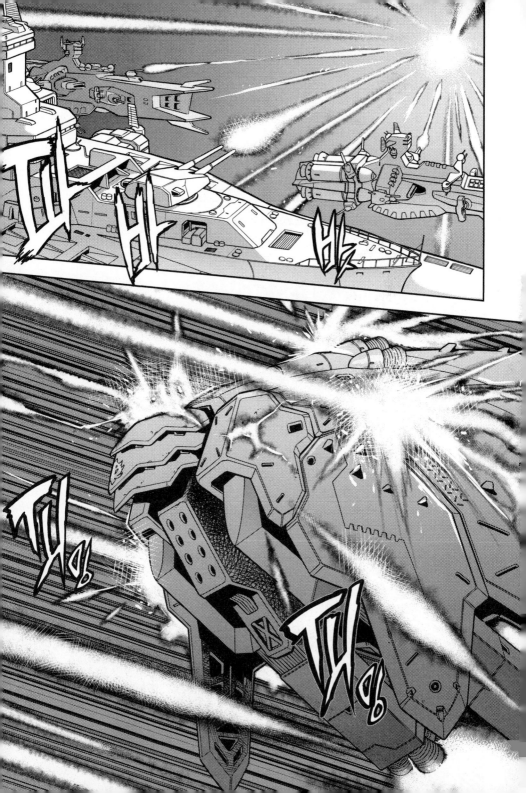

와이어트
각하!!

적 MA가
급접근
중입니다!!

예정보다
조금
이르지만

그 기체를
내보내도록.

예.

이것도
관함식의
이벤트 중에
하나다.

당황하지
마라
제군!!

쿠

쿠

쿠

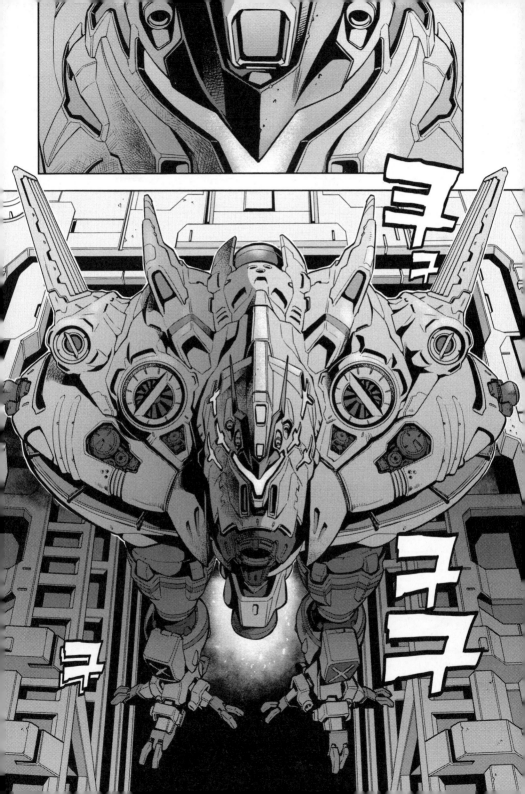

MOBILE SUIT
GUNDAM
0083
REBELLION

MOBILE SUIT
GUNDAM
0083
REBELLION

또 지금까지처럼 굴욕적인 삶을 살라고 한다면

네놈을 용서하지 않겠다!!

......

왜 빗나가게 했나? 날 봐줬다는 거냐?!

굴욕인지 뭔지는 내가 알 바 아니고!!

당신한텐 살아야 할 의무가 있어.

이건 봐준 게 아니야.

그리고 날 원망해도 좋아!!

가토!!
그놈한테 2호기를
빼앗기면서
이 싸움이 시작됐어.

모든 일의
원흉은
그놈이야!!

그렇다면!!
가토를 막아서
전부 끝낸다.

그러면
되는 거죠,
버닝 대위님.

제 임무는
아나벨 가토를
쓰러트리는 것.

니나…

반드시
네 2호기에서,
가토를
끌어내릴게.

그리고,
널 만나러
돌아가겠어.

원래는
관함식의 피날레에서
피로할 예정이었지만

이런 연출도
좋겠지.

잔당의 어리석은
희망 따위는,
짓밟아버려라!!

큭….

표적의 속도,
줄었습니다!!

역시 겨우
이 정도군.

주포 일제 소사!!
우주의 먼지로
만들어라!!

표적에서
뭔가가
나옵니다!!

?!

저건….

160

응?!

아래….

이 반응은….

솔로몬이….

핵탄두 공격을 받았습니다!!

자기 폭풍 때문에 통신이 혼란스럽습니다. 정확한 피해 상황은 불명이지만

……

관함식에 참가한 함대 대다수가 대파된 것 같습니다.

제48화 「격돌 전역」

이것이….

단 한 발의 핵탄두를 빼앗긴

우리의 실태가 불러온 결과라는 건가?

각 부대에
막대한 피해가
발생했습니다.

약 3분의 2는
행동불능으로
보입니다.

와이어트
대장님의
기함 버밍엄은
흔적도 없이….

하지만
…
이걸로
끝났군.

예?

흥

건방진 기분파가
눈에 띄려고 하니까
벌어진 일이다.

우리는
남은 3분의 1만
가지고도
훨씬
우세하다.

그에 비해
놈들은

비장의
카드였던
핵탄두를
써버렸다.

지온 잔당의
'별가루 작전'은
이걸로 끝났다!!

건담….

움직여줘…

아직 이야!!

조금만 더 하면 가토를…

큭!!

왜 그래?! 건담!!

펑

펑

펑

펑

183

소령님!! 탈출 하십시오.

네놈을 잊지 않겠다.

기… 기다려!! 가토.

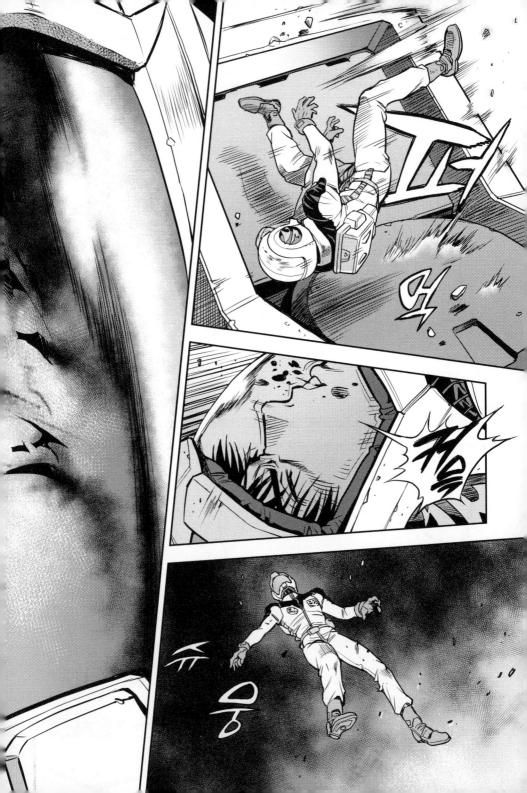

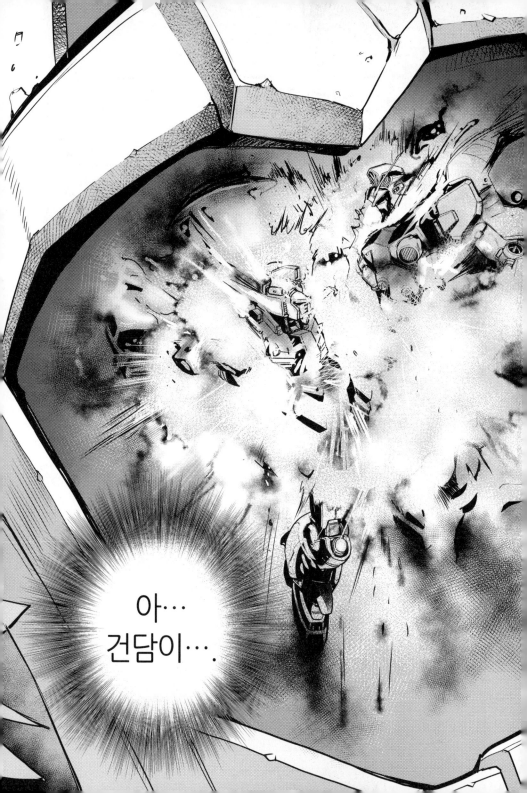

……

소령님.
서둘러
합류 지점으로
향하겠습니다.

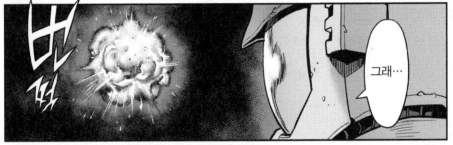

그래…

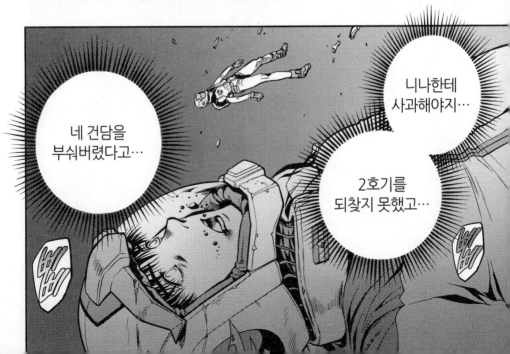

네 건담을
부숴버렸다고…

니나한테
사과해야지…

2호기를
되찾지 못했고…

MOBILE SUIT

GUNDAM 0083

REBELLION

End...

MOBILE SUIT
GUNDAM
0083
REBELLION
STARDUST MEMORIES

Final chapter 『STARDUST MEMORIES』…Start up!!

그리고…
아무도 본 적 없는 0083이 시작된다…

기동전사 건담 0083 REBELLION
최종 시리즈
「STARDUST MEMORIES」편
다음 권부터 시작됩니다!!

기동전사 건담 0083 REBELLION ⑨

2022년 5월 31일 초판 1쇄 발행

만화 나츠모토 마사토
원작 토미노 요시유키 · 야타테 하지메
협력 선라이즈

펴낸이 원종우
펴낸곳 길찾기
주소 (13814) 경기도 과천시 뒷골로 26, 2층
전화 02 6447 9000   팩스 02 6447 9009   메일 edit01@imageframe.kr   웹 http://imageframe.kr

ISBN 979-11-6769-074-6 07830 (9권)
가격 8,000원

MOBILE SUIT GUNDAM 0083 REBELLION 9